인공지능 미래과학 학습만화

글 달콤팩토리 | 그림 김문식

차례

 # 등장인물

배이노

토스트 굽는 게
뭐가 힘들다고
로봇까지
만들어요?

파랑초 고전게임부 리더이자 체스 챔피언을
능가하는 실력을 갖춘 체스 소년. 또래
친구들보다 어른스럽고, 주변을 크게 신경 쓰지
않는 듯 무심하고 차분한 분위기를 풍긴다.
등굣길에 까칠한 녀석과 부딪힌 일을 시작으로
하루 종일 이상한 사건에 휘말리게 되는데…….
이 모든 일이 다 어젯밤 꿈 때문일까?

아유나

도대체 어떻게
해야 배이노를
이길 수 있을까?

사뿐사뿐 걸어가는 모습만으로도 남학생들의 눈길을
사로잡는 자타공인 파랑초의 여신. 뛰어난 학교
성적만큼 체스 실력도 최고이고 싶지만, 번번이
이노에게 패배해 분을 삭히기 바쁘다. 찬바람 쌩쌩
부는 말투로 친구들 여럿 울렸지만, 이노 앞에선
표정 관리가 안 된다. 유일하게 유나의 약점을 아는
상대가 있는 것 같긴 한데…….

강현

어떻게 날 모를
수가 있지?
난 널 이미 알고
있었단 말이야!

최신 기술이 접목된 자율 주행 자동차를 타고
스스로 로봇 제작 실력까지 갖춘 4차 산업 시대의
선두 주자라고 자부한다. 하지만 돌발 상황의
대처 능력이 떨어져 종종 흥분하고 마는데…….
어느 날 현의 심기를 건드리는 존재가 나타났다.
과연 그는 친구일까, 경쟁자일까?

동구리

이 몸은
네 살 때부터
원격 조종
헬리콥터를
날렸다고!

세상 하나뿐인 자기만의 드론을 직접 만들어 날리는
일이 가장 즐거운 드론 에이스. 세탁기를 분해해
망가뜨리고 형광등을 깨뜨려 온 집 안을 난장판으로
만들어도, 드론 업그레이드만큼은 포기할 수 없다.
그러나 바로 그 소중한 드론이 온 학교를 뒤흔드는
엄청난 사건을 일으킬 거라고는 상상조차 하지 못했다.

과학 선생님

이 녀석들!
정말 뜨거운
맛을 볼 테냐?

긴 얼굴과 날카로운 눈매가 중생대
공룡인 익룡을 닮은 과학 전담 선생님.
과학 시간만 되면 꾸벅꾸벅 조는 이노를
늘 주시하고 있으며, 틈만 나면 드론을
날리려는 구리의 뒤를 쫓느라 바쁘다.

최집사

현이의 일은
제가 하나부터
열까지 챙기고
있습니다.

사업 때문에 바쁜 강현의 부모님을
대신해 현을 돌보는 비서이자 보호자.
작은 것 하나까지 현과 티격태격하기 일쑤지만
진심으로 현을 응원하고 보이지 않는 곳에서도
세심하게 도와주는 든든한 조력자이다.

삼총사

농구에서만큼은 절대 밀리지 않을 거야!
이노의 곁을 지키는 든든한 삼총사 친구들.
농구 할 때만큼은 서로 인정사정없는 승부욕이 발동된다.

1화
이상한 하루의 시작

더듬   더듬

콜록

콜록

이게……,
무슨 냄새지?

화
르
르
륵

활 활

으아아악!
불이잖아?!

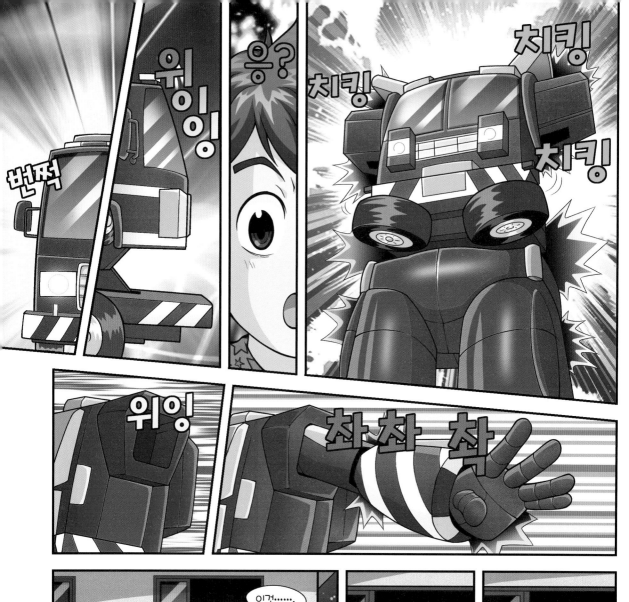

15

삼촌 때문에 하루도 맘을 놓을 수가 없다니까.

흠~, 시원하다. 역시 자전거 타고 맞는 바람이 최고야!

부우웅

응?

공사중

힐끗

주춤

주춤

그냥 먼저 가면 되지, 왜 저래?

끼잉

징

불쑥

야! 너 뭐야?!

누구, 나?

17

그래! 찻길에서
자전거를 타면 어떡해?!
방해되잖아!

보다시피
자전거 도로가
공사 중이라서.

뭐?

그, 그래도 그렇지!
여기 차들 안 보여?
네가 찻길로 가는 바람에
지나갈 수가 없다고!

얘, 뭐지?
아침부터
왜 시비야.

난 정말 이해가
안 돼. 요즘 같은
시대에 매일
구닥다리 자전거나
타다니 말이야.

매일?
너 혹시
나 알아?

우리도 얼른 가요!
속도 좀 더 내 보세요.

안 됩니다!

왜요?!

보행자 보호 시스템이
작동 중이니까요.

그럼 해제하면
되잖아요!

그러게
내가 뭐랬어요.
이런 프로그램을
모조리 설치할
필요 없다고 했죠!
온갖 옵션과
첨단 시스템을
설치하라고 우긴 건
강현 군입니다만!

교통 상황에 따라
스스로 속도를
조절하고,

차선 변경은 자동,
차선 인식도 자동,

보행자와 장해물을
피해 가며 보호해야죠!

안면 인식 기술은
물론이고, 주행 상황
주시 시스템을 포함한
옵션으로……

모르는 게
없으세요.

아니,
난 뭘
하라고!

앗?

어딜?

빙글

슈우욱

탁

휘릭

팡

나이스 캐치!

야! 이노 맞을 뻔했잖아!

헉!

에이~, 천하의 배이노가 저 정도도 못 받아 내겠어?

당연하지! 이번엔 내 차례야, 각오해!

응?

허억?!

서, 설마 저기가 네 자리는 아니겠지?

내 자리는 맞는데······.

거봐, 내가 뭐랬어?

말도 안 돼, 이건 꿈일 거야.

28

설마 쟤도
초콜릿 줄
사람이
있어?

저벅 저벅

큼 지 막

하나만
주면
안 돼?

알았어,
같이 먹자.

광

응?

혁
혁

너, 설마 여기까지
쫓아온 거야?

그래! 아직
얘기 안
끝났……!

29

로봇이란?

영화나 만화에 등장하는 로봇들 중에는 인간의 모습을 닮은 것이 많습니다. 하지만 우리 생활 곳곳에 들어와 온갖 장소에서 활동하는 로봇들은 훨씬 더 다양한 모습을 하고 있지요. 예를 들어, 공장에서 사람을 대신하여 일을 하는 로봇은 팔만 달린 단순한 모양이고, 전쟁터에서 활약하는 무인 전투기는 비행기 모양의 로봇입니다. 또 우리 주변에서 쉽게 볼 수 있는 둥근 모양의 로봇 청소기도 로봇에 속합니다. 이처럼 사람의 모습을 한 기계뿐만 아니라 주어진 일을 스스로 처리하거나 작동하는 기계를 로봇이라고 합니다.

로봇이란 말의 시작

로봇이란 말은 체코의 극작가 카렐 차페크가 1921년에 발표한 희곡 〈로숨의 유니버설 로봇〉에서 처음 쓰였습니다. 이 희곡에서 과학자 로숨은 인간을 닮은 기계인 로봇을 만들어 냅니다. 로봇이 대량 생산되어 인간 대신 힘든 일을 하던 어느 날, 감정을 갖게 된 로봇들이 반란을 일으키고 결국 세상을 점령하게 됩니다. 카렐 차페크는 이 기계를 로봇이라고 불렀는데, 이것은 체코어로 '강제 노동'을 뜻하는 로보타(Robota)에서 유래한 말입니다. 희곡이 발표된 이후 로봇이란 말이 널리 쓰이게 되었고, 카렐 차페크는 지금도 로봇의 아버지라 불리고 있습니다.

희곡 〈로숨의 유니버설 로봇〉
1921년 1월 25일 처음 공연된 연극으로, 연극에 나오는 로봇들은 외모는 물론 말과 행동까지 인간과 거의 비슷하다.

로봇의 발전사

초기의 로봇들은 주로 공장에서 사용되는 산업용 로봇이었지만, 점차 기술이 발달되면서 의료, 가정 도우미, 우주 탐사 등 다양한 목적을 가진 로봇들이 개발되었습니다. 로봇 개발의 역사에서 중요한 순간들을 한번 살펴볼까요?

큐리오시티

NASA는 탐사 로봇 큐리오시티를 화성에 보내 화성에 생명체가 살았던 흔적을 조사했습니다. 큐리오시티는 17개의 카메라로 화성 곳곳을 촬영하고, 로봇 팔로 암석과 흙을 채취해 왔습니다.

하이퍼

한국생산기술연구원이 만든 착용식 군사용 로봇으로, 이 로봇을 장착하면 무거운 짐을 지고도 몇 시간씩 활동할 수 있습니다. 하이퍼 1은 120kg, 하이퍼 2는 40kg의 짐을 거뜬히 질 수 있습니다.

▲ 경량화 모델인 하이퍼 2

2012년

2010년

아시모

일본의 혼다에서 인간형 로봇인 아시모를 발표했습니다. 주위 환경에 맞춰 스스로 판단하고 행동할 수 있는 데다, 걷고 뛰는 동작은 물론 수화까지 할 수 있습니다.

휴보

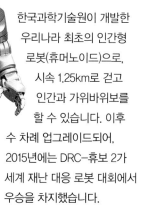

한국과학기술원이 개발한 우리나라 최초의 인간형 로봇(휴머노이드)으로, 시속 1.25km로 걷고 인간과 가위바위보를 할 수 있습니다. 이후 수 차례 업그레이드되어, 2015년에는 DRC-휴보 2가 세계 재난 대응 로봇 대회에서 우승을 차지했습니다.

2004년

다빈치

미국의 인튜이티브 서지컬이 개발한 다빈치는 사람의 손을 대신하여 암을 제거하거나 봉합 수술을 하는 의료용 로봇입니다. 로봇이 의사의 손동작을 그대로 따라 움직이며, 손 떨림 없이 정밀한 수술이 가능합니다.

2000년

1999년

아이보

일본의 소니에서 최초의 애완 로봇인 아이보를 출시하였습니다. 강아지 형태인 아이보는 쓰다듬으면 꼬리를 흔들거나 공을 쫓아가는 등 상황에 맞는 행동을 할 수 있습니다.

유니메이트

미국의 유니메이트라는 회사에서 최초의 산업용 로봇을 개발했습니다. 이 로봇은 2년 뒤 자동차 회사인 GM의 공장에 설치되어, 사람을 대신해 용접과 페인트칠 등을 했습니다.

1959년

2화 체스 보이, 드론 에이스를 만나다

그건 오해가 아니라 사실이지!

이렇게 네 취향에 맞춰 선물 고르는 게 보통 정성으로 되는 줄 알아?

탁

뭔지 엄청 궁금할 텐데?

……

꽁

이번엔 또 뭔데?

스륵

척

작년 네 생일에 선물한 주석 말이 포함된 50주년 기념판 클루!

Clue 50

1949년부터 제작된 추리 소설 기반의 보드게임

MONOPOLY

20세기 초 미국에서 시작된 보드게임

체스 대회 우승 축하 선물이었던 한정판 카탄 3D 에디션.

CATAN

1995년 발매된 독일의 보드게임

그리고 고전게임부

리더가 된 날 선물했던 1935년 판 모노폴리까지!

모두 경매 사이트를 샅샅이 검색해 찾아낸 것들이었지만, 이번엔 더 특별해!

알았다고.

대체 뭐길래 그래?

스윽

닫깍

20 games

그럼 그렇지~. 이럴 줄 알았어.

5 games

3 games

10 games

이게 선물이냐? 체스 대결 이용권이지!

딴 애들은 시시하단 말이야. 게다가 우리 고전게임부엔 상대가 너밖에 없잖아.

그러게. 대체 왜 나밖에 없을까?

열일곱 명…….

빙고! 아주 잘~ 알고 있네?!

그 애들은 체스 둘 자격이 없었어.

논리의 체계를 표현하는 위대한 예술을 한낱 컴퓨터 게임처럼 생각했다고.

이렇게 멋진 체스판을 아무에게나 만지게 할 순 없지.

평생 체스판만 만들어 온 인도 장인의 작품이라고.

왠지 인도의 향기가 느껴지는 것 같아.

적당한 온도와 습도에서 말리는 게 포인트라네.

게다가 최고의 공예가가 하나하나 정성 들여 깎은 체스말까지.

이 나이트의 눈을 봐. 살아 숨 쉬는 것 같지 않아?

*체크메이트 상대방의 말에게 공격 받은 킹이 더 이상 도망갈 곳이 없어 다음 수에서 잡힐 수밖에 없는 상황.
즉, 체크메이트를 당한 선수가 패배하게 된다.

*체크 킹이 상대방의 말에게 공격을 받은 상황. 킹이 체크를 받으면 반드시 다음 수에 체크에서 벗어나야 한다.

드디어 농구 타임! 하마터면 늦을 뻔했네!

헉!

익룡이다! 눈에 띄면 안 돼!!

흠......

여기서 무슨 소리가 난 것 같은데……

음악실

이놈들, 어디 잡히기만 해 봐라.

하마터면 들킬 뻔했네!

괜찮아?

쓰윽

히히히!!

엥?!

괜찮은 거 맞아? 그렇게 웃으니까 무섭다고.

팍

팍

흐흐, 이걸 구했잖아.

다행이다.

괜찮은 것 같아.

뭐가 괜찮다는 거야? 설마 네가 들고 있는 그거?

툭

툭

근데 넌 왜 도망쳤어?

아, 그게. 익룡 수업 시간에 자꾸 졸아서……

익룡?

아까 뛰어오는 거 못 봤어?

Ctrl+C

Ctrl+V

익룡이랑 똑같잖아. 다른 애들도 다 그렇게 불러.

그러는 너는? 왜 도망쳤어?

아……, 어제 세탁기를 분해했거든.

초강력 모터의 구조를 알아보려고.

세탁기를 분해했는데 왜 익룡이 쫓아와?

모터를 연결해서 다시 조립했는데, 물이 새는 바람에 온 집 안이 물바다가 돼 버려서.

서, 설마.

맞아. 우리 아빠야, 익룡!

쩝…….

조용해진
것 같은데.
그만 나가자!

그, 그래.

기분
상했으려나?

익룡이라고
불러서……

뭐, 익룡?!

헉!

로봇을 움직이는 힘, 모터

사람의 몸은 근육으로 이루어져 있습니다. 아주 무거운 짐을 드는 힘든 일부터 종이접기를 하는 섬세한 작업까지 모두 우리 몸을 이루는 다양한 근육 덕분이지요. 그렇다면 근육이 없는 로봇은 어떻게 움직일까요?

로봇의 근육, 모터

로봇의 근육에 해당하는 장치를 구동 장치라고 합니다. 구동 장치는 전기의 흐름이나 기름, 공기의 압력 등을 이용하여 로봇을 움직이게 하는 부품입니다. 로봇이 바퀴나 다리를 움직여 이동하거나 팔을 움직여 물체를 조작할 수 있는 것도 모두 구동 장치 덕분이지요. 구동 장치 중 가장 널리 쓰이는 것은 전기 모터입니다. 모터에 전기가 흐르면 모터 축이 회전하면서 로봇의 움직임을 조종합니다.

로봇 팔의 움직임

전기 모터의 회전 운동으로 움직인다.

인간 팔의 움직임

관절을 연결하고 있는 근육에 의해 움직인다.

 전기 모터의 원리

모터는 일반적으로 회전하는 부분인 회전자와 회전자 양쪽에 있는 자석으로 이루어져 있습니다. 모터에 전기가 흐르면 회전자는 전자석이 되어 자기장을 만들어 내고, 이때 회전자를 둘러싼 자석에 의해 당겨지고 밀려나면서 모터의 회전축이 계속 돌아가게 됩니다. 사용하는 전원에 따라 직류 모터와 교류 모터로 나뉘며, 교류 모터의 고정자는 영구 자석 대신 전자석이 사용됩니다.

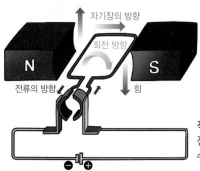

직류 모터의 원리 자기장의 속 자석에 전류가 흐르면, 자기장의 방향과 수직으로 전자기적인 힘이 발생한다.

가전제품 속의 모터

전기 모터는 전류가 자기장 속에서 받는 힘을 이용해 전기 에너지를 운동 에너지로 바꾸어 주는 장치입니다. 스위치만 켜면 바로 작동시킬 수 있어 편리하기 때문에 일상적인 용도로도 많이 이용되지요. 집 안의 에어컨과 냉장고, 진공청소기, 선풍기, 헤어드라이어 등 대부분의 가전제품 속에는 크고 작은 모터들이 하나 이상 들어 있습니다. 또 자동차의 와이퍼나 창문을 여닫는 데도 전기 모터가 사용됩니다.

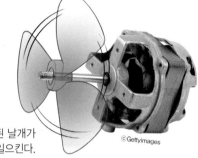

선풍기 속의 모터 모터 축과 연결된 날개가
회전하면서 바람을 일으킨다.

©Gettyimages

로봇 속의 전기 모터

로봇이 인간의 명령에 따라 움직이는 모든 동작은 모터가 있어야 가능합니다. 모터의 세기에 따라 동작의 크기와 힘이 달라지기 때문에, 큰 힘이 필요한 로봇의 팔이나 다리에는 큰 모터를, 섬세한 동작이 필요한 손가락 같은 부분에는 작은 모터를 사용해 필요한 움직임을 만들어 냅니다. 휴머노이드 로봇이 인간처럼 자연스럽게 움직일 수 없는 이유가 바로 이 모터에 있습니다. 아무리 많은 모터를 동시에 움직인다 하더라도 인간의 근육이 만들어 내는 섬세한 움직임과 순간적인 파워를 만들어 내기 어렵기 때문이지요. 로봇의 개발이 활발해지고 모터의 중요성이 점점 커지며, 최근에는 같은 출력에서도 크기와 무게를 줄인 다양한 모터들이 개발되고 있습니다.

©Jose-Luis Olivares/MIT

MIT 공대의 치타 로봇과 전기 모터
MIT에서 개발한 치타 로봇은 시속 16km의
속도(2014년)로 달릴 수 있으며, 배터리와
전기 모터만으로 강력한 힘을 만들어
움직일 수 있게 했다.

3화
드론 에이스의
모터 사용법

오늘은 꼭 너랑 얘기를 해 봐야겠다.

꽉

삼촌이 과학자잖냐? 얼마나 공부 환경이 좋아! 내가 따로 얘기해 줘?

안 그래서도 돼요.

안 돼요!

뭐? 안 돼? 그럼 포기를 말아야지! 다 너 잘되라고…….

저기, 제가 아니라…….

안 된다니까요. 제발요.

그럼 정말 휴대폰 뺏길지도 몰라요.

이게 다 강현 군을 위한 겁니다.

무슨 일이지? 설마…….

아~, 아버님이 아니라…….
근데 성함이 최…집사?

그렇습니다.

강현 군의 부모님이
많이 바쁘셔서, 현이의 일은
제가 하나부터 열까지
챙기고 있습니다.

귀찮지만
일일이!

스윽

혹시 현이가
무슨 말썽이라도
부리거든 제게 직접!
연락해 주시면 무척
감사하겠습니다.

아, 네.
그러지요,
뭐.

이렇게 만난
김에 학부모
상담이라도 하고
갈까요?

어이구, 이렇게
갑작스럽게…….

우리 현이가
집에서는…….

굽실

굽실

헐, 이게
무슨 상황이야?

난 가도 되겠지?

하

휴

오늘 아침부터 참 자주 마주친다. 강…현?

이제야 내가 누군지 알았냐?

칫

원래 알고 있었던 것 같기도…….

누굴 바보 취급 해?!

방금 아저씨랑 선생님이 계속 내 이름을 불러 댔잖아!

어휴, 아침부터 되는 일이 없네. 누구 때문에!

씩

씩

뭐야, 이름을 기억 못 해도 화내고 기억해도 뭐라 하고.

성큼 성큼

아차! 늦었다, 농구!

역시 이상한 애야.

얘들아~,
나 왔어!

왔냐?

왜 이렇게
늦었어?

미안, 미안! 오는 길에
누굴 좀 만나서.

뭘 감추냐?

우리도
다 알아.

아까 유나 손에 끌려가는 거 봤거든.

나는 참~ 이해가 안 된다?

그깟 말 요리조리 움직이는 게 뭐가 재밌다고. 땀 좀 흘리면서 신나게 뛰어야 기분 전환되지 않냐?

됐어~, 배이노 그러는 거 하루 이틀 일도 아닌데 뭐. 농구나 하자.

오케이! 개인전으로 3점 먼저 내기, 어때?

세 사람이 승자에게 각각 떡볶이, 순대, 어묵 사기로?

좋아!

73

체크!

응? 저게 뭐지?!

헉! 놓쳤다!

흠…….

내가 잘못 봤나?

설마 그 이상한
녀석이 들고
있던…….

배이노, 괜찮냐?!
장애물이니 포지셔닝이니
온갖 폼은 다 잡더니!

너희들,
못 봤어?

아까 하늘에
말이야.

설마 UFO?
몸 개그 이유가 너무
뻔한 거 아냐?

슬쩍

아무도 못 봤겠지?

옥상 밖으로 드론을 날리면 어떡해? 선생님께 들키면 어쩌려고.

괜찮아~, 소음이 거의 없게 조립했거든. 특별히 귀가 밝거나,

눈이 좋은 사람 아니면 절대로 봤을 리가 없어!

나?!

그나마 학교에서 드론 날리기엔 이만한 데가 없지만, 그래도 레이싱은 위험한 것 같아.

어휴~, 걱정 말라니까.

*FPV(First Person View) 1인칭 시점. 연결된 제품에 직접 타고 있는 듯한 효과를 준다.

동구리!
너 여기 있지!

콰앙

콰앙

콰앙

설마 또 드론
날리는 건
아니겠지?

학교에선 절대
안 된댔잖아!
위험하다고!

헉!

어, 어쩌지?

콰앙

이 녀석! 세탁기
망가뜨리고,
형광등 깨는 것도
모자라 이제
학교에서까지!

파

바

바박

그, 그건
사과했잖아요.

집안일은 집에서 혼날게요!

턱

꾸앙 당

팟

윽!

바아양

구리야! 네 드론!!

안 돼!

바아앙

하늘을 누비는 드론

하늘에서 윙윙 소리를 내는 작은 비행체를 본 적 있나요? 바로 드론입니다.
최근에는 취미용 드론이 많아진 데다 방송 촬영용으로도 심심치 않게 등장하여
더욱 가깝게 느껴지지요. 드론에 대한 궁금증을 하나씩 풀어 볼까요?

드론이란?

드론은 원래 수벌을 뜻하는 말로 비행체가 하늘을 날 때 벌이 왱왱거리는 듯한
소리가 난다고 해서 붙여진 이름이지요. 조종사가 직접 탑승하지 않고 원격
조종이나 자율적으로 움직이는 비행체를 통틀어 드론이라고 합니다. 드론이 처음
등장한 것은 전쟁터였는데, 원거리에서
조작할 수 있어 적군을 염탐하거나
전투용으로 쓰기 적당했기 때문입니다.

©Wikipedia

고정익 드론 미국 공군의 무인 정찰기 중 하나인
MQ-9 리퍼는 대표적인 고정익 드론이다.

드론의 구조

우리가 가장 흔히 볼 수 있는 드론은 프로펠러가 달린 회전익 드론입니다.
프로펠러가 하나인 단일 로터와 프로펠러가 여러 개인 멀티 로터로 나뉘지요.
크기가 작고 구조가 단순한 데다, 기동성이 좋고 제자리에서 이착륙이 가능하여
널리 쓰이고 있습니다.

회전익과 달리 날개가 몸체에 고정되어 있는 고정익 드론도 있습니다. 회전익보다 기동성은 떨어지지만, 대신 오래 날 수 있고 소음이 적어 정찰용으로 많이 쓰입니다.

GPS 수신기

비행 제어기

프로펠러

모터

카메라

회전익 드론 회전 날개의 개수에 따라
종류가 나뉘는데, 그중에서 회전 날개가
네 개인 쿼드 로터가 가장 인기가 많다.

드론의 비행 원리

프로펠러가 있는 회전익의 경우 프로펠러 날개를 빠르게 회전시켜 몸체가 떠오를
수 있는 힘인 양력을 만듭니다. 날개가 회전하면 주변 공기의 흐름이 빨라지고
이때 발생하는 압력 차이 때문에 양력이 만들어지는 것이지요. 비행 방향을 바꿀
때는 프로펠러의 회전 속도를 조절하면 됩니다. 쿼드 로터의 경우, 뒤쪽 프로펠러
한 쌍이 더 빠르게 돌면 몸체 뒷부분이 위로 들리면서 앞으로 날게 되고, 앞쪽
프로펠러 한 쌍이 더 빠르게 돌면 몸체 앞부분이 위로 들리면서 뒤로 날게 됩니다.

앞으로 이동
뒤쪽 프로펠러
두 개를 더 빠르게
돌린다.

뒤로 이동
앞쪽 프로펠러
두 개를 더 빠르게
돌린다.

왼쪽으로 이동
오른쪽 프로펠러
두 개를 더 빠르게
돌린다.

오른쪽으로 이동
왼쪽 프로펠러
두 개를 더 빠르게
돌린다.

드론의 용도

드론은 기동성이 좋은 데다 사람이 직접 가기 어려운 곳에도 쉽게 닿을 수 있다는
장점 덕분에 다양한 분야에서 활약하고 있습니다. 드론에 카메라를 설치하여
영화나 방송, 광고 촬영 등에 이용하는 것은 이미 보편화되었고, 미국의 인터넷
쇼핑몰인 아마존이나 도미노 피자 등의 기업에서는 실제 배달에 드론을 이용하는
서비스를 시작했지요. 사람이 직접 가기 위험한 재난 지역에 구호 물품을
전달하거나 인명을 구조할 때도 쓰입니다. 또 씨를 뿌리거나 비료와 살충제를
살포하는 기계를 드론에
달아 농업에 이용하기도
하지요. 이외에도 오지에
무선 인터넷을 보급하고,
게임이나 취미 활동에
사용되는 등 드론의
가능성은 무궁무진합니다.

드론의 다양한 용도

방송 촬영

인명 구조

배달

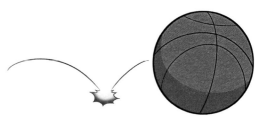

4화
단체 반성문의 위기

이쪽으로 떨어진 게 분명하단 말이다!

흠?

헉!

그, 그게…….

너희 잘못도 아니잖니. 그러니까 좋은 말로 할 때 사실대로 말하렴.

뭔가 날아오는 걸 본 것 같긴 한데, 순식간에 사라져서…….

그래서 어디로 숨겼지?

눈 깜짝할 사이에 사라졌다니까요?!

스윽

저쪽으로…….

두둥

헉!

…가 아니라, 이, 이쪽이던가?

찌릿

……

반짝

반짝

얘들아, 나 좀 살려 줘. 제발.

어쩌라고……?!

대 략 난 감

......

지금은 내가 바빠서
일단 간다만, 너희들 이따
다시 보자. 특히·······.

너! 이건 한 달간
내가 보관할 테니,
나중에 찾으러 와.

네.

으앙~,
어떡해.

야, 동구리. 그만 울어!
압수는 내가 당했는데,
왜 네가 우냐?

미, 미안해. 그리고 다들 고마워.

아냐, 고맙긴. 도와준 것도 없는데…….
그나저나 너 괜찮아?

굴적

아니, 아마 내 드론은 산산조각 났을 거야.

흐어엉

어떡해.

우아아앙

우, 울지 마.

그런데 저 방엔 아무도 없는 걸까?

그러게. 왜 내다보는 사람이 없지?

우리 부실 바로 옆인 것 같은데.

문 열린 거 한 번도 못 봤어.

너 아까부터 왜 그래? 불길하다고.

그 표정은 또 뭐고?

그러게, 넌 뭔가 알고 있는 거야?

내가……

그 마지막 로봇부 부원이니까!

쿠

무야, 이 번개는?

궁

30분 만에 탈퇴했다는?!

사실 그전에 난 고전게임부였어.

부들 부들

정말?!

응, 아유나 때문에 그만두었지.

미, 미안. 내가 대신 사과할게.

됐거든!

욱하는 마음에 바로 로봇반에
지원했는데, 까다로운 1차 시험은
통과했거든? 그런데 그날 저녁⋯⋯.

쫘아아 휘이이잉

덜컹

덜컹

무서워⋯.

두리번

두리번

무섭게 왜
저녁에 오라는
거야?

스윽

저기⋯⋯.

허어억!!

번쩍

펑

까르르릉

펑

누군가 로봇 더미 속에서 로봇을 죽이고 있었어.

뭐?! 로봇을 죽였다고?

피, 피다! 으아아악!

오싹

로봇을 해체하고 있었다는 거지? 근데 왜 피가 묻어?

그러게, 공포 영화냐?

부들 부들

쯧쯧

끄덕 끄덕

나도 몰라! 얼마나 무서웠는데. 로봇 무덤 같았다고!

대체 리더가 누군데?

강현이잖아. 너네 걔 몰라?!

강현?!

번쩍

꽈과강

강현이 로봇부 리더라고?

꽈악

응?

저기……, 나랑 같이 찾으러 가 주면 안 돼?

뭐?!

내가 모터, 기체, 배터리, 조종기까지 일일이 조립해서 만든 소중한 드론이거든.

진지

구래곤은 또 다른 나야.

구·래·곤?

응! '구리의 드래곤'을 줄여서 붙인 이름이야. 멋있지?

으응.

쟤 왜 저렇게 진지하니!

근데 왜 나한테 같이 가자는 거야?

얘들아, 점심시간 끝나 가~.

후다닥

주춤 주춤

시, 시간이 벌써 그렇게 됐네?

우리 먼저 갈게. 이노야, 천천히 와~.

타다닥

어? 나, 나도 같이 가.

콱

제발 부탁할게.

철퍼덕

으악!

109

로봇부

여기야.

여기가 로봇부?

꿀꺽

항상 이랬어. 인기척이 없고…….

스윽

헉!

왜 그래?

손잡이가 없어.

뭐라고? 그럼 문을 어떻게 열어?

두리번 두리번

혹시 초인종이라도 있나?

아무것도 없어.

그럼 문 여는 방법을 찾을 수 있을까? 난 여기 꼭 들어가야 해. 내 소중한 것이 갇혀 있거든.

좋아.

정말?

단, 세상에 공짜는 없…….

알았어, 체스 세 판! 피곤하니까 빨리 좀 해결해 줄래?

좋아.

근데 35초 후면 점심시간이 끝나. 이따 여기서 다시 만나자.

그냥 가는 거냐?

로봇은 어떻게 세상을 볼까?

상대방의 표정을 보고 감정을 표현하는 로봇부터 화성의 정보를 수집하는 탐사 로봇까지, 로봇이 필요한 임무를 수행하기 위해서는 사물의 형태를 인식하는 기능이 필요합니다. 로봇에게도 인간의 눈과 같은 장치가 있는 걸까요?

로봇의 눈은 시각 센서!

사람은 눈, 코, 입, 피부 등 다양한 감각 기관을 가지고 있습니다. 덕분에 자극을 느끼고 주변 세계를 파악하여 적절하게 대응할 수 있지요. 로봇은 인간의 감각을 흉내 낸 센서가 그 역할을 대신합니다. 사물을 보는 일은 시각 센서의 역할로, 시각 센서 중 가장 대표적인 것은 카메라입니다. 카메라에 찍힌 시각 정보를 컴퓨터가 이해할 수 있는 전기 신호로 변환한 뒤 해석하여, 이를 기반으로 동작을 제어하는 원리지요. 다만 지금까지 개발된 어떠한 시각 센서도 인간의 눈처럼 정보를 정확하고 빠르게 처리하기는 어렵습니다. 대신 거리를 정확히 계산할 수 있는 레이저 센서, 어두운 곳에서도 물체를 알아볼 수 있는 적외선 센서 등으로 시각 센서를 보완하면, 사람의 눈으로는 얻기 어려운 정보를 알 수 있기도 합니다.

화성 탐사 로봇 큐리오시티의 시각 센서

화성에서 65cm 높이의 장애물을 오르고, 하루에 200m를 움직여야 하는 큐리오시티에게 시각 센서는 매우 중요합니다. 큐리오시티에는 총 17대의 카메라가 장착되어 있는데, 위험을 감지하는 카메라와 길을 찾는 카메라 등 각각의 목적에 맞게 설계되어 있습니다.

네비게이션 카메라
마스터 카메라
화학 카메라 복합 장치
네비게이션 카메라
마스터 카메라
로봇 팔 렌즈 영상 장비
위험 기피 카메라(뒤)
위험 기피 카메라(앞)
화성 강하 영상 장비
©NASA/JPL-Caltech

비슷하면서도 다른 눈과 카메라

사람이 물체를 본다는 것은 물체에서 반사된 빛이 동공을 통해 들어와 수정체에서 굴절되어 망막에서 상을 맺은 뒤, 이 자극을 시각 세포가 받아들이는 것입니다. 카메라에 상이 맺히는 것도 사람의 눈과 비슷한 과정으로 이루어집니다. 렌즈가 빛을 모아 통과시키면 홍채 역할을 하는 조리개가 빛의 양을 조절하고, 들어온 빛이 망막 역할을 하는 필름에 맺혀 상이 기록되는 원리이지요. 로봇의 눈에 이용되는 디지털

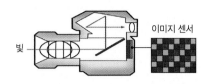

디지털 카메라의 구조

이미지 센서

빛

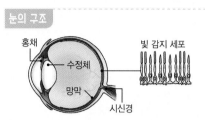

눈의 구조

홍채
수정체
망막
시신경
빛 감지 세포

카메라의 경우에는 필름 대신 CCD 등의 영상 센서를 이용해 영상 정보를 전기 신호로 변환하여 기록하게 됩니다. 변환하는 과정에서 영상은 2차원 평면 위에서 화소라고 불리는 점들의 배열로 재구성되고, 각 화소의 밝기는 단계에 따라 숫자로 표현할 수 있습니다. 인간이 사물을 형태 그대로 인식한다면, 로봇은 수많은 숫자들의 조합을 인식하게 되는 것이지요.

디지털 영상을 구성하는 화소와 해상도

로봇의 시각 센서는 화면을 촘촘한 점들의 배열인 화소로 구성한 디지털 영상으로 인지합니다. 화소란 눈으로 볼 수 있는 가장 작은 입자로, 같은 화면 안에서 화소가 촘촘히 나뉠수록 더 선명한 영상을 얻을 수 있습니다. 예를 들어 72dpi와 300dpi를 비교한다면, 72dpi는 화면을 72개의 화소로 나누어 점을 찍은 것이고, 300dpi는 같은 면적에 300개의 점을 찍어 영상을 표시한 것으로, 300dpi일 때 해상도가 높아져 더 선명한 화질을 얻을 수 있습니다.

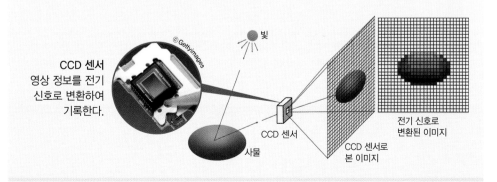

CCD 센서
영상 정보를 전기 신호로 변환하여 기록한다.

빛

CCD 센서

CCD 센서로 본 이미지

전기 신호로 변환된 이미지

사물

©Gettyimages

5화
힌트는 헤론의 자동문

이노네 교실

문이니까 결국은 열린다.

그런데 손잡이도 열쇠 구멍도 없다.

유나네 교실

아주 오래전, 고대 그리스에도 이런 문이 있었지. 손잡이 없는······.

······

원래 자리가 아닌 곳에 문을 설치하려면 벽을 부숴야 했을 것 같은데……, 학교에서 그게 가능했을까?

그, 그런가? 하긴…….

비밀의 문이 아니라면, 넌 뭐라고 생각하는데?

아직 추측일 뿐이지만, 내 생각엔…….

자동문 아닐까?

혹시…

자동문?

역시~! 넌 나랑 통한다니까.

네 생각도?

어떻게 둘 다 자동문을 떠올렸어?

굵적
굵적

사람을 인식하는 자동문 시스템이라면 손잡이나 열쇠 구멍이 필요 없을 테니까.

스르륵

맞아!

게다가 자동문이라고 생각하게 된 중요한 이유가 하나 더 있지!

정말? 그게 뭔데?

여긴 로봇부잖아!

그런데?

그런데라니?
그러니까지!

나 지금 말장난할
기분 아니란 말이야.
하나도 모르겠다고!

으아~

그러게, 좀
쉽게 얘기해
봐. 로봇부랑
자동문이 무슨
상관인데?

배이노, 정말
그게 이해가
안 돼? 체스보다
어렵나?

여기서
체스 얘기가
왜 나와?

으흐흐

바짝

어휴, 궁금해
죽겠네~!

알았어.

127

그렇네! 그럼 최초의 자동문은 사람들을 속이기 위해 만들어진 거야?

맞아! 헤론의 자동문처럼 스스로 작동하는 장치를 '자동 기계' 또는 '오토마타'라고 해.

이런 자동 기계에 현대의 전기와 모터 기능을 더하면…….

오늘날의 로봇에 가까워지는구나? 그래서 이 문이 자동문일 거라고 생각했고!

아…….

로봇부 리더가 로봇의 기원에 의미를 두기 위해 만들었을 수도 있으니까!

근데 이게 진짜 자동문이라면, 우리가 문 앞에 섰을 때 자동으로 열렸어야 하는 거 아닐까?

자동문의 원리는 보통 두 가지가 있어.

무게를 감지하는 압력 센서 방식과 움직임을 감지하는 적외선 센서 방식!

그럼 여기엔 무게를 감지하는 센서가 없는 것 같으니까…….

남은 방법은 하나!

어딘가 적외선 센서가 숨겨져 있을 거야!

그럼 어서 찾아보자!

좋아, 비밀이 하나씩 풀리는구나!

더듬 더듬

꼼꼼

비밀… 안 풀리는데?

이상하다. 내 추리엔 허점이 없는데…….

후우

히잉!

이대로 포기해야 하나?

툭

풍

지잉!

구래곤……, 난 널 잊지 못할 거야!

스으윽

으응?

129

뭐, 어쨌든 로봇부 부실에 들어올 자격은 있다 치고…….

잠깐! 자격이라니?

로봇부 부실이 네 건 아니잖아. 학교 안의 부실은 모든 학생들에게 개방되어 있는 거 몰라?

바, 반드시 그렇진 않아!

로봇부 부실은 로봇부 부원들만 들어올…….

그건 네가 정할 문제가 아니지! 그리고!

안에 있었다면, 대답을 하거나 문을 열어 주는 게 예의 아닌가? 우리가 문을 여는지 못 여는지 지켜봤다는 건, 상당히 악취미 같은데!

역시, 아유나! 멋지다!

그래? 그럼 선생님께 얘기해서 바로 들어오지 그랬어? 왜 도둑고양이처럼 살금살금 움직였대?!

그, 그건…….

아마 이것 때문이겠지?

구래곤~, 무사했구나!

구·래·곤?

잠깐! 이게 얼마나 위험한 물건인지 모르나 본데.

이게 내 머리를 쳤거든?

미, 미안해!

머리가 깨질 뻔했고, 다리에는 큰 화상을 입을 뻔했어. 그나마 유리창이 깨지며 드론의 속도가 줄었고, 신속한 응급 처치로 다리도 무사한 거라고!

다행이네, 별로 다치지 않아서.

뭐? 별로 안 다쳐서 다행이라니! 지금 그게 할 소리야?

유나야, 좀 참아~. 구리가 구래곤을 되찾아야 하니까.

그래, 일단 그래야겠지?

야! 다 들리거든?!

어쨌든 학교에서 드론을 날리는 건 금지 아니야? 규칙을 어기니까 이런 사고가 생긴 거고.

다시는 이런 일이 없도록 선생님께 말씀드려야겠어.

척

안 돼! 그것만은 제발⋯⋯. 선생님이 내 구래곤을 돌려주지 않으실 거야.

그거야 내 알 바 아니지.

⋯⋯.

꿈틀

걱정 마, 똥구리. 선생님께 알릴 생각이었으면, 진작 했을 거야. 이렇게 우릴 기다리지 않고 말이야.

저, 정말……?

앗! 들켰다.

강현, 내가 정말 미안해. 깨진 창문도 금방 수리해 줄게.

제발 내 드론만 돌려줘. 어차피 너에겐 쓸모없는 구닥다리잖아.

그건 내 알 바 아니라고 했지?!

야, 강현! 너무하잖아!

이노야!

흠칫!

아니!
달라는 건 아니고,
바꾸자는 거야.

고전게임부 부실과
로봇부 부실을 말이야!

뭐?!

보다시피 공간이 부족해서,
오래된 로봇들은 한 번씩 해체 작업을
하고 있어. 몇 달씩 걸려 조립한
소중한 로봇들을 말이야.

139

또 무슨 꿍꿍이야? 대결이라니!

흥분하지 말고 일단 들어 보고 결정해. 대결 종목은 배이노와 내가 가장 자신 있는 것!

그런 게 있을 리…….

내가 만든 로봇과 네가 체스 대결을 벌이는 거야. 어때?

로봇과 체스 대결⋯⋯?!

고작 부실 때문에 이러는 게 우습지도 않아? 혹시 아침 일 때문이라면 더 유치하군.

이, 이건 폭풍 전야!

로봇의 기원, 자동 기계 이야기

로봇은 언제 처음 만들어졌을까요? 많은 사람들이 로봇을 비교적 최근의 과학 기술이라고 생각하지만, 사실은 무려 2천 년 전에도 자동으로 움직이는 기계들이 있었습니다. 로봇의 조상인 자동 기계들은 과연 어떤 모습이었을까요?

천재 발명가 크테시비오스와 헤론

자동으로 움직이는 기계에 대한 최초의 기록은 고대 그리스로 거슬러 올라갑니다. 바로 과학자 크테시비오스가 만든 물시계입니다. 물이 일정한 속도로 차오르면 부표가 떠오르면서 연결된 톱니 막대와 톱니바퀴가 움직여 시간을 가리키는 원리였지요. 그로부터 200년쯤 뒤에 등장한 과학자 헤론은 제단에 불을 붙이면 자동으로 움직이는 문을 발명해 신전에 설치했습니다. 요즘은 자동문이 일상적인 물건이지만, 당시 사람들은 보이지 않는 신이 문을 움직인다고 생각했기 때문에, 헤론의 발명품은 놀라움과 동시에 두려운 존재이기도 했습니다. 헤론은 이외에도 동전을 넣으면 성수가 흘러나오는 자동 성수기, 풍차가 돌면 소리를 내는 오르간 등 물과 바람, 증기 등의 힘을 이용해 기발한 발명품들을 만들어 냈습니다.

헤론의 풍력 오르간과 증기 기관
고대 그리스의 발명가였던 헤론은 풍력을 이용해 오르간을 연주하고, 최초의 증기 기관을 디자인했다.

레오나르도 다 빈치의 로봇

크테시비오스가 만든 물시계는 획기적인
발명품이었지만, 사람이 일일이 물을 채워 줘야
하는 데다, 물이 얼어 버리면 시계가 멈추는
치명적인 문제가 있었습니다. 좀 더 편리한
시계를 만들기 위해 연구가 이어졌고, 그 결과
13세기 무렵 톱니바퀴가 맞물려 돌아가는
기계식 시계가 등장했습니다. 르네상스 시대에
이르러서는 레오나르도 다 빈치가 움직이는
갑옷 기사 로봇, 사자 로봇 등을 제작하여 자동
기계 기술이 한걸음 더 발전했지요.

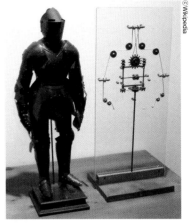

다 빈치의 스케치를 토대로 재현한 로봇
(독일 베를린, 지니 박람회, 2005)

점점 정교해지는 자동 기계

18세기에 이르러서는 사람이나 동물을 닮은 자동 장치들이 인기를 끌었습니다.
그중에서도 프랑스의 발명가 자크 드 보캉송이 만든 물과 음식을 먹고 심지어
똥을 누기도 하는 기계 오리가 유명하지요. 비슷한 시기에 활동했던 스위스의
시계공 자케 드로는 시계 제작 기술을 이용해, 글씨를 쓰고 그림을 그리며
오르간을 연주하는 자동 인형들을 만들었습니다. 자케 드로의 인형은 고개를 숙여
입김으로 연필에 묻은 가루를 날리거나, 숨을 쉬듯이 가슴을 들썩이는 등 섬세한
동작까지 더해져 살아 있는 사람처럼 보이기도 했습니다. 이후 단순히 자동으로
움직이는 기계뿐만 아니라 스스로 생각하여 움직이는 기계로 연구가 이어져,
오늘날의 로봇과 인공지능이 개발되었습니다.

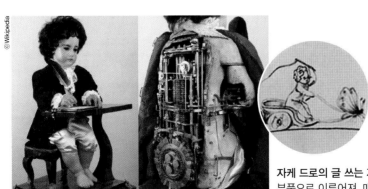

자동 인형이 그린 그림
직접 잉크를 찍어 종이에
그림을 그릴 수 있었다.

자케 드로의 글 쓰는 자동 인형 6천여 개의
부품으로 이루어져, 매우 정교하게 움직인다.

6화
폭풍 전야, 대결의 시작

2전 2패……,
오늘도 못 이겼네.

누구와 무엇에 대한
결과입니까?

이노랑 체스를
뒀거든. 언제나처럼
또 졌고.

합산합니까?

아니, 이미
계산 끝났어.

아무래도 그런 것 같아. 그렇게 말도 안 되는 대결을 받아들인 걸 보면 말이야.

이노 군이 이 사실을 알아야 할까요?

당연하지! 본인이 정신 나간 짓을 했다는 걸 알아야…….

띠잉

치치! 뭐 하려고?!

전송 완료!

뭐야! 방금 뭐라고 보냈어?!

웅~

설마…….

으, 망했다.

아유나.

으, 응. 이노야…….

이 메시지들……, 다 뭐야?

뭐, 뭐라고 갔는데?

그걸 왜 나한테 물어?

내가 엄청난 바보라, 오늘 아주 정신 나간 짓을 했고. 머리에 문제가 있으니, 병원에 가 보라는데?

주춤

흠흠흠

뭐? 난 병원에 가 보라는 말은 한 적 없어!

마지막으로 이노 군 집의 5km 이내에 있는 종합 병원 지도도 함께 보내 드렸습니다.

하아.

웅? 옆에 누구 있어?

안녕하세요. 유나 양의 인텔리전트 스피커, 치치입니다.

얘가 사고 친 거야.

아, 얼마 전에 선물 받았다는 인공지능 스피커?

귀엽게 생겼네.

칭찬해 주셔서 고맙습니다.

흠, 인공지능 스피커가 멋대로 문자를 보내진 않았을 테고.

아! 얘, 얜 가끔 좀 그래!

넌 조용히 해!

전 멋대로 문자를 보내지…….

그만하라니까!

꽥

…….

배이노! 이럴 때가 아니야. 체스 대결 준비는 시작했어?

꽉

아니, 뭘 해야 할지 모르겠어. 로봇과 체스 대결이라니, 전혀 상상이 안 돼.

치치, 네가 설명 좀 해 봐.

역사적으로 가장 유명한 인간과 인공지능의 체스 대결은,

체스 챔피언인 카스파로프와 슈퍼컴퓨터 딥블루의 대결입니다.

쫑긋

1989년 체스 대결에서 카스파로프는 딥블루를 이겼죠.

정말? 아까 강현은 인공지능이 체스 챔피언을 이겼다고 했는데?

벌떡

맞습니다. 8년 뒤인 1997년 대결에서는 딥블루가 카스파로프를 이겼으니까요.

그래……? 역시 그렇지?

체스 챔피언도 졌는데, 내가 어떻게 이긴담.

털썩

배이노! 너답지 않게 왜 이래?!

애초에 내가 왜 그런 제안을 받아들였을까?

로봇도 로봇 나름이지!

강현이 만든 로봇이 딥블루처럼 체스를 잘 둔다는 보장이 없잖아.

내가 체스 챔피언이 아니듯, 강현의 로봇도 딥블루가 아니다……?

아무튼 로봇과 너를 비교하는 것부터 말이 안 돼. 그것도 고작 강현의 로봇과!

왜 이리 조용해? 내가 너무 설득력 없는 소릴 했나?

배이노! 내 말 듣고 있어?

대강당……?

아이고, 허리야~.
아침 댓바람부터
이게 웬 난리람.

엥?

이게… 뭡니까?

선생님!

또 뵙네요.

학교에 함부로
현수막을 걸면
안 되는데,
모르십니까?

아!

158

그래서 교장 선생님께 먼저 허락을 받았답니다.

교장 선생님께서 허락하셨다고요?!

헉!

그럼 전 이만 가 보겠습니다.

보시다시피 아직 붙여야 할 포스터가 이렇게나 많거든요.

설마 저걸로 학교를 도배하겠다는 소리?!

털 썩

배이노랑 강현의 로봇이 붙는다며?

엄청나다! 초등학생 수준의 대결이 아닌 것 같아.

누가 이길까?

아이고, 허리야~

이건 뭐래...?

내가 강현이랑 유치원 동창이거든? 걘 그때부터 이미 로봇 세계에 빠져 있었다고. 로봇 제작 천재야.

그럼 만약 강현이 엄청난 인공지능 프로그램을 이용한다면……

설마~.

……

배이노……, 망한 거냐?

온 학교가 체스 대결 얘기로 난리네.

대체 둘 사이에 무슨 일이 있었던 거야?!

내가 알려 줄까?

응! 아는 거 있어?

갑자기 어디서 나타났냐.

드르륵

유나야.

그 아저씬 언제 우리 부실까지 왔다 간 거야?

온 학교에 도배가 됐더라. 내 사물함에도 붙어 있었어.

참, 너 혹시 인공지능 딥블루와 체스 챔피언의 대결 영상 봤어?

아니.

그 대결장에는 엄청난 크기의 컴퓨터가 있었거든? 그게 바로 딥블루였어. 그런데 이세돌과 알파고의 바둑 경기에서는 그런 큰 컴퓨터가 없었대.

그럼 알파고는 어디에 있었는데?

알파고는 클라우드(cloud, 구름) 위에 있습니다!

데미스 하사비스
알파고 개발사
구글 딥마인드의
CEO

대결장에서는 구름 위에 있는 알파고에 연결할 뿐입니다.

수십만 대의 컴퓨터를 연결해 슈퍼컴퓨터처럼 만들어서, 사용자가 어디에 있든 클라우드에 연결만 하면 대용량의 컴퓨터를 사용할 수 있는 거야.

알파고가 구름 위에 있다니,

그게 무슨 말이야?

그럼 이세돌과 대결한 알파고는 직접 대결장에 온 게 아니라, 클라우드에 접속해서 대결을 했다는 거야?

맞아. 이세돌 9단이 둔 수를 컴퓨터에 입력하면 구글 클라우드에서 알파고 프로그램을 이용해 알파고의 다음 수를 결정하는 거지.

만약 강현이 클라우드에 접속해서,

체스 프로그램을 이용한다면……

이노 네가 불리해. 어쩌지?

…….

어쩌긴? 걱정한다고 무슨 방법이 나오는 게 아니잖아.

3일 뒤

웅성
웅성

시끌
시끌

척
척
척

이노야!!

?!

나왔네? 무서워서 도망쳤을까 봐 걱정했는데.

그럴 리가! 내가 로봇 따위를 무서워할 사람으로 보여?

연습 많이 했어?

안 하진 않았지.

네가 체스 연습을 얼마나 했는지는 모르겠지만, 얘만큼은 아닐걸?

꾸꽉

이노와 체스 로봇 대결의 결과는······?
〈지니어스 로봇아이〉 2권 '인간 vs 인공지능' 편도 기대해 주세요!

인간 VS 인공지능, 대결의 역사

인간의 몸체나 움직임을 따라 만든 기계가 로봇이라면, 인공지능은 인간의
뇌처럼 스스로 생각하고 학습할 수 있는 컴퓨터 프로그램입니다. 생각하는
기계에 대한 연구는 1940년대에 이미 시작되었지만, 이를 토대로 인공지능이라는
개념이 등장한 것은 1956년이었습니다. 수십 년 동안 두뇌의 활동을 인공적으로
만들어 내는 과정은 쉽지 않았고, 비교적 최근까지 인공지능이 인간의 지능을
따라잡으려면 아주 오랜 시간이 걸릴 것이라는 결론이 대세였습니다.
그러나 기계가 인간의 뇌를 모방한 딥러닝 기술을 갖게 되며 인공지능은 점차
향상되었고, 오늘날 인간의 고유 영역이라고 생각되던 문학과 예술 분야에서
창작 활동까지 하고 있습니다.

체스 대결

휴버트 드레이퍼스 패 vs 맥핵 승

인간과 인공지능의 첫 번째 대결은 체스
경기였습니다. 미국 MIT 공대에서 만든
맥핵이라는 체스 프로그램과 아마추어 체스
선수였던 휴버트 드레이퍼스의 대결이었죠.
이 대결에서 맥핵이 드레이퍼스를 이기긴
했지만 드레이퍼스의 체스 실력이 훌륭하지
않았고, 이후 맥핵이 프로 선수들에게 연달아
패배하며 20여 년간 컴퓨터는 체스에서 인간의
상대가 되지 못했습니다.

체스 대결

가리 카스파로프 승 vs 딥소트 패

1980년대에는 체스 전용 슈퍼컴퓨터들이
등장하여 체스 대회를 휩쓸기 시작했습니다.
1989년에 미국 카네기멜론대에서 개발한
슈퍼컴퓨터 딥소트는 체스 그랜드마스터를
제압한 뒤, 세계 챔피언 가리 카스파로프에게
도전장을 내밀기도 했지요.
하지만 승승장구하던 딥소트도 세계 랭킹
1위의 벽을 넘지 못했습니다.

1967년　　　　　**1989년**　　　　　**1997년**

체스 대결

가리 카스파로프 패 vs 딥블루 승

IBM은 카스파로프에서 패배했던 딥소트를 향상시킨 딥블루를 개발해, 1996년 재도전을 했습니다.
그해의 경기에서는 딥블루가 패했지만, 그 다음 해 딥블루는 지난 100년간의 주요 경기
기록이 입력된 소프트웨어로 무장했고, 결국 2승 3무 1패로 승리를
거두었습니다. 컴퓨터가 사람을 이길 수 있다는 사실을 알린 놀라운
사건이었지요. 딥블루의 개발 이후 체스 경기의 챔피언은 줄곧
인공지능의 차지가 되었습니다.

©Wikipedia

내가
컴퓨터에게
지다니……!

퀴즈 대결

켄 제닝스, 브래드 러터 패 vs 왓슨 승

인간과 컴퓨터가 퀴즈 대결을 벌인다면 누가 우승할까요? 실제로 2011년 미국의 유명한 퀴즈 쇼인 〈제퍼디!〉에 IBM에서 개발한 슈퍼컴퓨터 왓슨이 출연해 화제가 되었습니다. 왓슨은 이 퀴즈 쇼의 최장 기간 우승자인 켄 제닝스, 최고 누적 상금 기록을 가지고 있는 브래드 러터와 치열한 대결을 벌인 끝에 우승을 차지했습니다. 특히 왓슨은 단어의 발음은 같지만 뜻이 다른 동음이의어나 농담이 섞인 질문까지 이해해 놀라움을 자아냈습니다.

2011년   **2016년**   **2017년**

바둑 대결

이세돌 패 vs 알파고 승

체스 대결에서는 더 이상 인간이 인공지능의 상대가 되지 못했지만, 사람들은 바둑에서만큼은 여전히 인간이 인공지능보다 앞설 것이라고 생각했습니다. 바둑은 체스보다 훨씬 복잡하여 경우의 수가 천문학적으로 많은 데다, 직관력 같은 인간 고유의 능력이 필요한 게임이기 때문이지요. 하지만 이러한 기대는 알파고의 등장으로 깨졌습니다. 2016년 3월 구글 딥마인드에서 개발한 인공지능 알파고에게 이세돌 9단이 4대 1로 패한 것입니다. 알파고는 16만 판 이상의 바둑 기보가 입력된 데다, 컴퓨터 스스로 데이터를 분석하고 예측하는 딥러닝이라는 기계 학습법이 적용되어 막강한 실력을 쌓을 수 있었습니다.

바둑 대결

커제 패 vs 알파고 승

알파고와 이세돌의 대결 다음 해, 세계 바둑 랭킹 1위였던 중국의 커제 9단이 알파고에 도전장을 내밀었습니다. 하지만 세 번의 맞대결 끝에 알파고가 모두 승리하며, 커제는 알파고를 상대로 1승도 거두지 못했습니다. 이세돌과의 대결 뒤 알파고는 더 많은 데이터를 받아들이며 딥러닝을 계속했던 것입니다. 그러나 이 경기 뒤 알파고는 바둑계를 은퇴했고, 결국 알파고가 세계 각국의 바둑 기사와 벌인 공식 대결 중 이세돌 9단만이 유일하게 1승의 기록을 남겼습니다.

지니어스 로봇아이

01 달려라, 드론 에이스

1판 1쇄 인쇄 2018년 2월 20일
1판 1쇄 발행 2018년 3월 5일

글 달콤팩토리 | **그림** 김문식
감수 박용래, (주)로보로보 | **콘티** 김한별 | **컬러** 이현구, 그리하여
사진 Gettyimages, Wikipedia, NASA/JPL-Caltech, Jose-Luis Olivares/MIT, 한국과학기술원

펴낸이 김영곤
아동사업본부이사 이유남 | **아동마케팅본부장** 신정숙
기획 · 개발팀장 문영 | **기획개발** 이혜지 | **디자인** 남정임
아동마케팅팀 변유경 한아름 김미정 김은지 백윤진
아동영업팀 김창훈 오하나 임우섭 | **제작팀** 이영민

펴낸곳 (주)북이십일 아울북 | **출판등록** 2000년 5월 6일 제406-2003-061호
주소 경기도 파주시 회동길 201(문발동) | **전화** 031-955-2100(대표) 031-955-2177(팩스)
홈페이지 www.book21.com

ISBN 978-89-509-7369-8 77550
ISBN 978-89-509-7374-2(세트)

값은 뒤표지에 있습니다.
잘못 만들어진 책은 구입하신 서점에서 교환해 드립니다.

• 제조자명 : (주)북이십일
• 주소 및 전화번호 : 경기도 파주시 회동길 201(문발동) / 031-955-2100
• 제조연월 : 2018. 03. 05.
• 제조국명 : 대한민국
• 사용연령 : 3세 이상